ブルブルくん
ストーリーズ 1

ブルブルくんと
フィンランドの森

わかさ生活

はじめに

ようこそ、ブルブルくんの世界へ。
ブルブルくんは、
ときにはフィンランドの湖のほとりに。
ときには日本のどこかに。
ときにはあなたの部屋の片《かた》すみに。
ふと現れます。

ブルブルくんは世界中のみんなが
ずーっときれいな景色を見られるように
目の健康を守りたい。
ひとりでも多くの人に「ＨＡＰＰＹ《ハッピー》」を届けたい。
「友だち」になりたい。

そんな夢《ゆめ》を持って、毎日どこかで
仲間たちとゆかいに楽しく遊んでいます。

この本には、ブルブルくんのことが「大好き」ないろんな人たちが考えた「ブルブルくんと仲間たち」の物語がつまっています。

この本を読めば、あなたも「あ、あそこで遊んでいるかも」とブルブルくんたちの姿が見えてくるかもしれません。

もし、あなたの中の「ブルブルくん」がなにか楽しそうなことをしていたら、私たちにこっそり教えてくださいね。

それでは、ブルブルくんたちがどんなことをして遊んでいるのか少しのぞいてみましょう。

登場キャラクター

ブルブルくん

ブルーベリーのようせい。なぜか関西弁《かんさいべん》。ダンスが得意。森のはしからはしまで見わたせるほど目がいい。「アントシアニンパワー」とさけぶと不思議なことが起こる。

アイアイちゃん

サンタベリーのようせい。ダンスが得意で明るい性格《せいかく》。「レスベラトロールビーム」でみんなをメロメロにさせちゃう〝ましょう〟の女の子。

※「モイ」はフィンランドの言葉で
「やあ」や「こんにちわ」の意味だよ。

カタグリくん

ドングリ族の末えい。いたずら好きで力持ち。食いしんぼうでときどきみんなをこまらせてしまうが、にくめない性格。

紫《し》々《し》丸《まる》くん

むらさき色の毛をもつ羊。ライオンにあこがれている。「ハッピー」が口ぐせ。紫々丸くんの毛（ハッピーウール）をさわると幸せになるらしい。

もくじ

ブルブルくんとフィンランドの森……春

ブランコ対決

今日も良い天気です。

青い空に、わたがしのような白い雲がうかんでいます。

森の広場にある大きなドングリの木のそばで、カタグリくんが得意気に立っていました。

見上げる先には、手作りのブランコがかけられています。

そこへやってきたブルブルくんとアイアイちゃん。

「オイラが作ったんだゾ。ブルブルくんも乗るか？」

「すごいやん！　乗っていいの？　乗る乗る！」

ブルブルくんがブランコに乗ると、カタグリくんが後ろから思い切り背中《せなか》をおしてくれました。

ブルブルくんがブランコのロープをしっかりにぎりしめて

前後にこぎ始めると、ブランコは空にとどきそうなくらい大きくゆれました。

「ブルブルくん大丈夫？　ちょっと大きくゆらしすぎよ。こわくないの？」

心配そうにアイアイちゃんが見つめています。

「大丈夫やで～。心配ないって！」

ごきげんでブランコをこぐブルブルくん。それを見ていたカタグリくんは、ムッとして急にブルブルくんのブランコを止めてしまいました。

「カタグリくん！　急に止めたらあぶないやん！」

「オイラならもっと高くまでこげるゾ！　アイアイちゃん見てて」

カタグリくんはひょいとブランコに飛び乗り、立ちこぎで大きくゆらし始めました。

ブランコはあっという間に空までとどきそうになり、カタグリくんの体も大きく前後にゆれています。

「カタグリくん、さすがにそれはあぶないって！」

「そうよ、あぶないわ！」

「アイアイちゃん見て見て！　オイラのほうがすごいんだゾ！」

ふたりが心配そうに見ているのをかくにんすると、カタグリくんはさらにいきおいをつけました。

『あぶない!!』

ブランコが大きく一回転したかと思うと、カタグリくんの手がロープからはなれ、体が空を舞《ま》いました。

「キャー！」

アイアイちゃんは思わず手で顔をおおいました。

そーっと目を開けると、カタグリくんはずっと先の木のえだにひっかかって、ユラユラとゆれながらばつが悪そうに笑っていました。

ケーキをさがせ

「あかん。どうしよう……」

ブルブルくんがこまり果てていました。

「あれ？　ブルブルくん、どうしたんだゾ？」

たまたま森の中を散歩していたカタグリくんは、ブルブルくんの様子がおかしいと思って声をかけました。

「うぅ、それがな」

ブルブルくんは今にも泣きだしそうな顔をしています。

「ア、アイアイちゃんの誕生日《たんじょうび》やから、がんばってケーキを作ったんやけど、どこかにわすれてしまってん」

「えっ⁉　どこに置いたか覚えてないのか？」

「心当たりがある所を全部さがしてみたけど、どこにもなかってん」

「そうか〜。なにか良い方法はないかな」

カタグリくんもこまったと頭をかいています。

「せや！　カタグリくん、お得意の鼻でケーキのにおいをたどれへんかな？」

「よっしゃ！　オイラ、やってみるゾ」

カタグリくんはクンクンとにおいをさがします。

「ちょっとあまいにおいがするゾ！　あっちだゾ！」

ブルブルくんたちはにおいのする方向へ歩いていきました。

ところが、たどり着いた先にあったのは、ケーキではなく、紫々丸《ししまる》くんが食べようとしていたチョコレートでした。

「ハッピー♪　ふたりともどうしたの？」

「紫々丸くんのチョコレートだったのか」

「うぅ……」

また泣き出しそうなブルブルくん。

「ブルブルくん、大丈夫だゾ！　オイラにまかせて」

カタグリくんはまたがんばって鼻をきかせました。

「おっ！　あっちだ」

ブルブルくんたちがたどり着いた先には、見事、ケーキがありました。

「これやー！　カタグリくんありがとう」

ブルブルくんはそう言うと、走ってアイアイちゃんにケーキをわたしに行きました。

「アイアイちゃん、お誕生日おめでとう！　これあげる」

「うふふ、ありがとう。でも、誕生日はまだ先よ……」

「え、えぇ⁉」

とてもおっちょこちょいなブルブルくんなのでした。

ピカピカでふわもこな紫々丸《ししまる》くん

紫々丸くんが鼻歌を歌いながら森の中を歩いていると、ぽつりと眉の上にしずくが落ちてきました。

「わ、つめたい！」

そう思ったしゅんかん、バケツをひっくり返したような大雨に見まわれてしまいました。

「えーん、どうしよう……」

木のかげで雨宿りをしていた紫々丸くんのところに、ブルブルくんとアイアイちゃん、カタグリくんがやってきました。

「紫々丸くん？」

「どうしたの、そんなにぬれて」

「なんだか、ちょっとにおうんだゾ」

毛がないみんなは、雨に打たれてなんだかツヤツヤしています。

「とっても気持ちのいい雨だったわね」

アイアイちゃんたちがそう言っていると、やがて空が晴れ、太陽の光が差してきました。

一方、紫々丸くんの毛はぬれてよごれたまま。ついに紫々丸くんは泣きだしてしまいました。

「よし、ボクにまかせとき！　紫々丸くんをきれいにしたる！」

ブルブルくんが大きな声で言いました。

「まずは、きれいにあらわな」

紫々丸くんが湖に入ると、その周りを魚たちがぐるぐる泳いで、まるでせんたく機のように紫々丸くんをあらってくれました。

「次は香りね。レスベラトロールビーム！」

アイアイちゃんがビームを湖に向けて放つと、湖からとてもさわやかなあまい香りがしてきました。

「最後はかわかすんだゾ」

カタグリくんは森の鳥たちをよんで風を送りました。

ブルブルくんたちも大きな葉っぱで紫々丸くんをあおぎました。

「みんな、ありがとう！」

ピカピカふわもこ、良い香りになった紫々丸くん。

みんなで雨上がりの森を楽しくお散歩したのでした。

ハートのブレスレット

森の広場でアイアイちゃんとひさしぶりのダンスを楽しむブルブルくん。

相変わらずアイアイちゃんのダンスはすてきで、体を動かすたびハートのブレスレットがキラキラとゆれています。

ところが、

「あれ？　ない！　お気に入りのブレスレットがない！」

ダンスの最中にブレスレットがどこかへ消えてしまいました。

失くしたブレスレットを10・0というじまんの視力《しりょく》で見つけてあげようと思ったブルブルくん。ところが、なんだか目がスッキリしません。

「なんでや！　こんなんすぐ見つけられるはずやのに、目がかすんでよく見えへん……。もしかして、目がつかれているんかな？　夕べもおそくまで『花鈴《かりん》のマウンド』のマンガを夢中《むちゅう》で読んだからかな？」

「いいのブルブルくん、気にしないで。残念だけど、とても小さなものだし見つけるのは無理よ。今日はこれで帰るわね。またダンスしましょうね」

アイアイちゃんは悲しそうに帰っていきました。

近くばかり見ていると目がつかれることを思い出したブルブルくんは、目の体操《たいそう》を始めました。

まずは遠くの山を見てリラックス。両手をまっすぐ前にのばして、ひとみを左右に動かします。

最後は遠くと近くを順に見て、ひとみをぐるっとゆっくり回します。

「あ～スッキリした！　これでしっかり見えるぞー」

森の中をキョロキョロ見回すと、キラッと光るものが。

「きっとあれや！」

ブルブルくんは葉っぱの間で光る、小さなハートのブレスレットを見つけることができました。

「すぐに持っていってあげよう！　アイアイちゃんの喜ぶ顔が目にうかぶわー」

ブルブルくんははずむように森の奥へ消えていきました。

レッツチャレンジ！

みんなも動画を見ながら
目の体操をやってみてね！

ブルブルくんとフィンランドの森……夏

サーフィン対決

今日は、森のみんなでピクニック。
湖面はキラキラとかがやき、青い空と森の木々がうつって
います。
北欧《ほくおう》の短い夏を楽しもうと、ブルブルくんとカタグリくん
は湖にいきおいよく飛び込みました。
「あー、気持ちええなぁ！」
そこに1まいの葉が流れてきました。
ブルブルくんは、ピョンとその葉に乗ると、風を受けてかっ
こ良く湖面を進んでいきます。
「ブルブルくんすてき！　さすがだわ！」
アイアイちゃんがかけ声をかけます。

その様子を見ていたカタグリくん。近くにあった葉に負けじと飛び乗りました。

湖面を風がふきぬけ、ブルブルくんとカタグリくんがすごいいきおいで進んでいきます。

「最高！　気持ちええわ！」

「ブルブルくんには負けないいんだゾ！」

「カタグリくんもかっこいい！」

ふたりはアイアイちゃんにアピールするようにスピンをかけたり、宙返《ちゅうがえ》りをしたりと競い合っています。

「アイアイちゃん！　次はもっとすごいのを見せるでー」

とブルブルくん。ばっちりわざを決めて後ろを振り返りました。ところが……。

「あれ？　アイアイちゃんのすがたが見えへん」

岸の方を見ると、アイアイちゃんはサンタベリーの木かげでスヤスヤとねむっていました。

ブルブルくんのパワー

北欧《ほくおう》の森の真ん中でブルブルくんが空を見上げて歩いています。

「良い天気や。元気なブルーベリーが実るで」

そこから少しはなれたところで、紫々丸《ししまる》くんも散歩をしていました。

「わぁ！　ブルーベリーがたくさん実ってる。美味しそうだなぁ」

紫々丸くんの声を聞いたブルブルくんがかけよっていきました。

「今日は天気がええから、きっとよく育つで。ブルーベリーの栄養は水と太陽やからな。そうや、紫々丸くん。一緒に水やりしようや」

ふたりは一緒に、ブルーベリーの水やりを始めました。

「お水をたくさん飲んで、ブルーベリーがキラキラしてる!」

紫々丸くんもうれしそう。

「だけど広いなぁ。ふたりだけでお水をあげきれるかな?」

一面のブルーベリーを前に心配そうなブルブルくんと紫々丸くん。

「おーい、ブルブルくん、紫々丸くん」

「なにしてるの〜?」

そこにカタグリくんとアイアイちゃんがやってきました。

「やぁ、カタグリくん、アイアイちゃん。ボクたちブルーベリーにお水をあげているんだ」

「そうや。ふたりも手伝ってくれへん?」

4人で水やりをしてしばらくたちましたが、広いブルーべリーの森はまだまだ続いています。

「これ、今日中に終わるかな?」

「間に合わないわ……。そうだ、ブルブルくん。アントシアニンパワーで一気にやってしまいましょう」

たくさん太陽の光をあびたブルブルくんは、はじけそうなほどプルプルしています。

「よーし、いくで! アントシアニンパワー!」

ブルブルくんの頭から、むらさき色の光がドバーッと出て、周囲をむらさき色に照らしていきます。

「わあ、見て! ブルーベリーがどんどん育っていく。どんどん、どんどん……、うわ～!」

アントシアニンパワーを受けたブルーベリーはぐんぐん育ち森いっぱいになりましたが、それでも止まらず広がり続けていきました。

花火に想いを込めて

「ブルブルくん！　おはよう！」

（アイアイちゃんだ！）

ブルブルくんがそう思ってふり向くと、すでにアイアイちゃんは遠くにいて、カタグリくんたちにも「おはよう！」と最高にキュートな笑顔であいさつを交わしていました。

アイアイちゃんは森のみんなのアイドル。

ブルブルくんも、そんなことはよく知っています。

それでも、ちょっとだけ自分のことを特別に思ってほしいと考えていました。

（アイアイちゃんがすごくおどろいたり、かんげきしたり、とっても喜んでくれることがしたいなぁ……）

そんなことを考えながら歩いていると、森のけいじ板にはられた花火大会のお知らせが目に入りました。

「来週は花火大会か……。毎年、アイアイちゃんも楽しみにしてたな」

アイアイちゃんが花火を見てはしゃぐ様子を思い出して、なんだかうれしくなったブルブルくん。

「そうや！　花火でアイアイちゃんにメッセージをおくろう！」

ブルブルくんは、花火師《はなびし》のおじさんのところへ急いで行きました。

花火大会当日。森は徐々に暗くなってきました。

ブルブルくんは、アイアイちゃんとカタグリくん、紫々丸《ししまる》くんと一緒に花火がよく見えるおかへ急ぎます。

「楽しみね。今年はどんな花火が上がるのかしら」

「アイアイちゃん、フィナーレは特にしっかり見てや！

すごい花火が上がるから」

ヒュ～……、ドーン、ドドーン！　パチパチパチパチ……。

「きれいね～」

「去年より花火の数も多いゾ！」

みんな空を見上げて、歓声《かんせい》を上げています。

だけどブルブルくんは、フィナーレの花火が気になって集中できません。

「そろそろ、フィナーレだゾ」とカタグリくん。

「そうだね。その後はダンス大会もあるらしいよ」

「そうなの⁉」

アイアイちゃんの目がキラキラとかがやきました。

連続で上がる花火にますます気持ちが高まるアイアイちゃ

ん。最後は、いよいよブルブルくんからアイアイちゃんへのサプライズです。

「今や！　アイアイちゃん、見て！　ボクの気持ち」

ところが、アイアイちゃんはすでにダンスに夢中《むちゅう》。

空には「I《アイ》 LOVE《ラブ》 YOU《ユー》！　アイアイちゃん」の文字があらわれ、けむりになって消えてしまいました。

なみだサプライズ

ある夏の日。

いつもは森の仲間たちのはしゃぎ声が聞こえるのですが、今日はしーんと静まり返っています。

「今日はやけに静かやなぁ……。みんなどこにおるんやろ?」

テクテクと森の中を歩くブルブルくん。しばらく行くとなにやらガサゴソしているカタグリくんを見つけました。

「あ！　カタグリくん！　なんだか今日はみんなのすがたが見当たらないし、やけに森が静かやなぁ」

「あ、ブルブルくん⁉」

大あわてでなにかをかくすカタグリくん。

「そ、そうか～？　オ、オ、オイラ今いそがしいから、バイバイ！」

あせった様子でどこかへ行ってしまいました。

「どうしたんやろ……？　なんか変やなあ……」

ブルブルくんがまたしばらく歩いていると、今度はアイアイちゃんを見つけました。

「あ！　アイアイちゃん！」

「ブルブルくん⁉」

「さっきカタグリくんに会ったんやけど、なんか様子がおかしかったんや」

「あ、あら、なにかあったのかしら？」

「わからへん。ところでアイアイちゃん、今からボクと一緒に遊ばへん？」

「ごめんなさい、今日はちょっといそがしいの。また遊びましょう、さようなら」

そう言うとアイアイちゃんもどこかへ行ってしまいました。

さびしそうにトボトボ歩くブルブルくん。

今度は森の広場でせっせとなにかを作っている紫々丸《ししまる》くんを見つけます。

「紫々丸くん！　ボクと一緒に遊ぼうや～！」

「⁉」

紫々丸くんはおどろいた様子で目の前にあったものを片付け、なにも言わずににげるように去ってしまいました。

「えぇ～⁉　ボク、みんなになんかしたんかなぁ。なんで一緒に遊んでくれへんのやろ……」

ブルブルくんがしょんぼりと湖のほとりですわっていると、だれかがトントンとかたをたたきました。

ふり返ると、「せ〜の！」というかけ声とともに、アイアイちゃん、紫々丸くん、カタグリくんが声を合わせ、

『ブルブルくん、ハッピーバースデー！　お誕生日《たんじょうび》おめでとう!!』

おどろくブルブルくんに向かって、アイアイちゃんが言います。

「うふふ。ブルブルくん、さびしい思いをさせてごめんね。喜んでほしくて、ナイショでじゅんびをしていたの。私からは愛情《あいじょう》たっぷりの手作りケーキよ♪」

「オイラが作ったドングリのオブジェだゾ！」

「ボクのハッピーウールで作った、夏でも使えるぼうしをあげる！」

そう言って、みんな次々にプレゼントを手わたしていきました。

「みんな、ボクのためにありがとう!!」

みんなにお祝いされたブルブルくんの目には、キラリとうれしなみだが光っていました。

ブルブルくんとフィンランドの森……秋

ブルブルくんとフーフーとスズランの花

「ふぅ。なんやキノコをとるのに夢中《むちゅう》になってたら、あっという間に夕方や。そろそろ帰ろ」

ここは北欧《ほくおう》の森の中。夏の終わりともなると、太陽がしずみかけてからすぐに暗くなってしまいます。ブルブルくんは足早に家へ向かいました。

するとどこからか「フー、フー」と鳥の鳴き声が聞こえてきました。

「だれかおるんか?」

声のする方に近づいてみると、

「あ、こ、こんにちは。ボクはフーフー」

そこにいたのは、ワシミミズクの子どもでした。

「なにしてるん？　早く家に帰らな、すぐ暗くなんで」

「花をさがしているんだ」

「花？」

「ボクの友だちが病気で、今年、森でスズランの花を見ることができなかったから、見せてあげようと思って……」

フーフーは1輪のスズランを大事そうに持っていました。

「スズランって夏の花やん。よう見つけたなぁ」

「そうなんだ！　さがすのに夢中になっていたら、帰り道がわからなくなって……」

「そっか、それならボクにまかしとき！」

「え？」

「トナカイの友だちにたのんでみるわ。クリスマスに子どもたちへプレゼントを配ってるから、この辺のことはよ～く知ってるし、きみの足、もうボロボロやんか」

見ると、フーフーの足はきずだらけでした。

「それに、ボクはいつもビルベリーを食べてるから、めっちゃ目がいいんや。夜でもよく見えるんやで。ほら、きみも食べ！　一緒にその子の家をさがそ」

「ありがとう！」

そうしてフーフーは大好きな友だちにスズランの花をとどけることができ、ブルブルくんには新しい友だちができたんですって。

ルスカの想い出

アイアイちゃんは北欧《ほくおう》の森に住むサンタベリーのようせい。ブルブルくんと同じくダンスが大好きです。

ふたりが出会ったのは、ある秋の日のことでした。

楽しくダンスをするアイアイちゃんの姿に、ブルブルくんが一目ぼれをしたのです。

「アイアイちゃん、かわいいなぁ」

アイアイちゃんと仲良くなりたいブルブルくん。

アイアイちゃんになにかプレゼントをしようと思い付きました。

「なにがええかな、そや、アクセサリーを作ってプレゼントしたら喜んでくれるかな」

ブルブルくんはさっそく森で材料をさがし始めました。短い夏が終わった森には、赤色や黄色、だいだい色など、色とりどりのもみじが美しくかがやいています。

もみじはフィンランド語で「ルスカ」といいます。

ブルブルくんはルスカを集めてネックレスを作り始めました。ところがやぶれたり、ちぎれたりとなかなかうまくいきません。何度も失敗しながらブルブルくんは一生けんめい作りました。

ようやく、形はぶかっこうですが、とてもカラフルではなやかなネックレスができあがりました。

「きっとアイアイちゃんも喜んでくれるはずや」

ドキドキしながらアイアイちゃんに会いに行きます。

「初めまして！　ボクはブルブルくん。アイアイちゃんと一緒にダンスがしたいねん。これ、ボクからの気持ちや。受け取って」

突然あらわれたブルブルくんに少しビックリするアイアイちゃん。

ぶかっこうなルスカのネックレスを見てニコッとほほえみ、「ありがとう」と受け取ってくれました。

それから、アイアイちゃんとブルブルくんは仲良く一緒にダンスを楽しむようになりました。

秋のかくれんぼ

今日はかくれんぼをして遊ぶことになりました。

ブルブルくんがオニです。

「1、2、3……、10！　もういいかい？」

『もういいよ！』

「さぁ！　さがすで～！」

ブルブルくんは大きなひとみで森の中をキョロキョロ見わたしながらさがしました。すると、木の後ろからチラッとピンク色の姿が見えているのを発見。

「アイアイちゃん、見っけ！」

「あ～あ、見つかっちゃった」

アイアイちゃんと一緒に湖のそばをさがしていると、今度は水面になにかうつっているのが見えました。

「紫々丸《ししまる》くん見っけ！」

「見つかった～」

3人でカタグリくんをさがしますが、なかなか見つかりません。

「おなか空いてきたね……」

アイアイちゃんは歩きつかれてきたようです。

「あ！　あそこにさつまいもがあるよ！」

紫々丸くんが近くに畑を見つけました。

「じゃあ、焼きいもにして食べよか！　においにつられてカタグリくんが出てくるかもやしな！」

ブルブルくんのアイデアにだいさんせいのふたり。

「あそこにちょうどいい落ち葉の山があるわ」

「ここで焼きいもしよ！」

そう言ってブルブルくんがさつまいもをじゅんびして、落ち葉の山に火をつけると……。

「アチチチチッ!!」

落ち葉がバッと空に舞《ま》いました。

「なにするんだ！　びっくりしたゾ！」

『あ！　カタグリくん、見～つけた!!』

またぁ〜!?

秋も深まり、赤色や黄色の落ち葉がしきつめられた森の中を、ブルブルくんが歩いています。

今日は日差しも温かく、とっても気持ちが良さそう。

大きく伸びをしたそのとき、どこかで声が聞こえた気がして、あたりを見わたしました。

「助けて〜」

声は遠くから聞こえてきました。

「どこにおるんー?」

ブルブルくんが声の主をさがします。

「ここ!　ここにいるゾ〜。助けて〜」

今度ははっきりと聞こえましたが、すがたが見えません。

「下だゾ〜。下を見て〜！」

地面を見ると、大きなあなにカタグリくんが落ちています。

「カタグリくんやんか⁉　もうだいじょうぶやで。すぐ助けたる！」

体の大きなカタグリくんを助け出すのは大変でしたが、木のえだやツルを使って、ブルブルくんはなんとかカタグリくんを助けだすことができました。

もうヘトヘトです。

「ありがとう！　助かったゾ〜」

「それにしても、なんでこんなところに大きなあながあったんやろ」

「……実は、みんなをおどろかそうと思って、こないだオイラが作ったんだけど……。落ち葉でわかんなくなっちゃったんだゾ。エヘヘ」

「なんやそれ！　自業自得やんか」

そう言ってブルブルくんがカタグリくんの背中《せなか》をバシッとたたくと、バランスをくずしたカタグリくんが、またあなに……。

「えーっ！　またぁ～⁉」

紫々丸《ししまる》くんのひみつきち

「今日はみんなで大そうじをしよう！」

ブルブルくんの一言で森の大そうじが始まりました。

「ブルブルくん、ここってなにかしら？」

アイアイちゃんが大きな木の根もとにあなを見つけました。

「なんやろ？　中に入ってたしかめてみよ！」

そう言うとブルブルくんはあなの中に入っていきます。

「なんや、いろんなものが置いてあるな」

そこにはいろいろなガラクタが集められていました。

「あ！　私、これをさがしていたの！」

アイアイちゃんが森で無くしたブローチもそこにありました。

「いったい、だれがこんなところにかくしたんやろ？」

「他にもなにがあるか、おそうじをしながらさがしてみましょう！」

そうして、ブルブルくんとアイアイちゃんがそうじをしていると、紫々丸くんがやってきました。

「あれ？　きみたちなにしているの？」

「紫々丸くん！　見て！」

「だれかがこのあなにガラクタを集めているの！」

アイアイちゃんが怒《おこ》りながら言います。

「え？　これはガラクタじゃないよ。全部、ボクのたからものだよ」

紫々丸くんが不思議そうに言います。

「これ紫々丸くんが全部集めたの⁉」

「そうだよ！　森の中で見つけたたからものを、このひみつきちにかくしていたんだ」

紫々丸くんがえっへんとほこらしげに言いました。

『紫々丸くん！』

ブルブルくんとアイアイちゃんは声をそろえて怒りました。

「紫々丸くんはもう、ひみつきちを作っちゃダメよ！」

「一緒にそうじしてここをきれいにするで！」

ふたりに怒られ、紫々丸くんはしょんぼりしながらそうじをしました。

こうして大そうじと一緒に紫々丸くんのひみつきちもきれいになくなってしまったんだって。

ブルブルくんとフィンランドの森……冬

ブルブルくんと水のようせい

ある冬の朝。

目を覚ましたブルブルくんは自分の体を見てびっくり！

「うわぁ、なんやこれ⁉」

ブルブルくんのあざやかなむらさき色の体が、真っ白になっていたのです。

「こ、こんなんブルブルくんちゃうやん。ブルーベリーのようせいちゃうやん……」

ブルブルくんのむらさき色はどこにいってしまったのでしょう？


まずは、北欧《ほくおう》の森で夜中もずっと起きているフクロウに聞いてみました。

「なぁ、ボクのねている間になにがあったか知ってるか？」

フクロウは顔をくるっと1周させて答えました
「だれかと思えばブルブルくんか。水のようせいがきみの色を抜いて湖の方へ行くのを見たよ」

ブルブルくんは湖へと向かいました。アントシアニンパワーがないので、空も飛べません。

湖に着くと森の動物たちが集まっていました。中心には水のようせいがいて、7つの小びんを地面にならべています。ビンのふたを開けると、赤色、だいだい色、黄色、緑色、青色、あい色、むらさき色の7色の光が飛び出し、湖に大きな虹《にじ》がかかりました。

森の動物や植物、ようせいたちは大喜び。キラキラとかがやく虹にうっとりしていました。

「みんな最近元気がないから、虹を見せてあげたかったの」

と水のようせいは言いました。

「いくら太陽が出えへんからって、人のもん勝手に取ったらあかんね」

「うん、ごめんなさい。色よ、もどれ！」

水のようせいは素直《すなお》にあやまると、それぞれの色を持ち主に返そうとしました。

ところがむらさき色を返してもらうはずのブルブルくんに7色の光が全部すい込まれ、今度はブルブルくんが虹色に。

「こらー！　なにすんねんー！」

レインボーカラーのブルブルくんを見て、みんなはさっきよりさらに楽しそうに笑いました。

やさしい雪の正体

「ブルブルくん、今日はいちだんと寒いわね」

「ホンマに！　急に寒くなったな」

森で遊んでいたブルブルくんとアイアイちゃんは寒さでふるえています。

「あ！　見て、アイアイちゃん！」

「……雪？　どうりで寒いわけね」

でも、なにやら様子がおかしいみたい。

「アイアイちゃん……。雪って白じゃなかった？」

「ええ。でもこれはむらさき色だから雪じゃないわね」

「なんやろ？　めっちゃふってきてるけど」

「ブルブルくん、手でつかまえて！」

ブルブルくんは、言われた通りにふってきたものを次々とつかまえました。

「けっこう集まったな！　なんや毛玉みたいや！」

「これ……、紫々丸《ししまる》くんの毛じゃないかしら？」

「ホンマや！」

「紫々丸くんになにかあったんかも！　さがそう！」

ふたりはそう言って森の中をさがし始めました。

紫々丸くんは森の奥にいました。

体の毛が空に舞《ま》っているのにまったく気付いていないようです。

「紫々丸くん！」

「わぁ！　びっくりした」

「なにをしているの？」

「寒くなってきたから、みんなにマフラーをあげようと思ってあんでいたんだ！」

見ると、紫々丸くんの手には自分の毛であんだマフラーが。

ハッピーウールとよばれる紫々丸くんの毛は、さわると幸せになれると言われています。

「こっそりひみつで作っていたのに、バレちゃった！」

紫々丸くんは照れくさそうに笑いました。

迷子《まいご》のトナカイくん

「今日はいい天気やな」

ブルブルくんはひなたぼっこを楽しんでいました。

「ん？　あのトナカイくんどうしたんやろか？」

1頭のトナカイが同じところをウロウロしている様子が見えました。

「トナカイくん、どうしたんや？」

「あ、ボク、あの大きなもみの木のところまで行きたいんだけど、迷子になってしまって……。なぜか同じところにもどるのでこまっているんだ」

「きみ、方向おんちなんやなぁ。ボクにまかせとき！」

ブルブルくんはそう言うとトナカイくんの背中《せなか》に乗り、道案内を始めました。

「次の木を右に〜」

案内にしたがって森を進むトナカイくん。

「あの花畑をこえたら目的地や！」

とうとう目的地に着きました。

「おつかれさん！　無事に着いて良かったな！」

「ブルブルくん、ありがとう！」

ブルブルくんとトナカイくんはすっかり仲良くなりました。

「ほな、またな！」

それから数日たったある夜、ねむっていたブルブルくんは物音に気付き目を覚ましました。

ねぼけながらまどの方を見ると、そこには人かげが。

「あれ？　きみは……」

まどの外にいたのは迷子になっていたトナカイくんと赤い服を来たおじいさんでした。ふたりは、ブルブルくんの家からそっと出ていこうとしていました。

不思議に思いながらまくらもとを見てみると、すてきなクリスマスプレゼントともみの木のえだが置いてありました。

雪の日のおはなし

冬のある日。

ブルブルくんはアイアイちゃんとカタグリくんと一緒に部屋で遊んでいました。

「寒いと思ったら雪がふり出してきたわ」

「ボク、夏生まれやから寒いの苦手やねん」

体をふるわせながらブルブルくんが言います。

「オイラこれくらいなら平気だゾ」

ひとり強がるカタグリくん。

今日、3人がいる部屋のだんろには火がついていませんでした。だんろに火をつける方法を知っているのは、物知りな紫々丸《ししまる》くんだけだからです。

紫々丸くんは、大切な用事があって来るのがおそくなっていました。

「だいぶ寒くなってきたなぁ」

「オ、オイラ、へ、平気だゾ……」

カタグリくんの声もふるえだしました。

アイアイちゃんはずっと元気がありません。

「よし、ボクなにか温かくなるものさがしてくるわ。アイアイちゃん、ちょっと待っててな」

「オイラも一緒にさがすゾ」

ふたりはベッドルームで毛布《もうふ》を見つけ、アイアイちゃんのところにもどりました。

「アイアイちゃん！　とりあえずこれにくるまって、紫々丸くんを待とう！」

「ふたりともありがとう」

その後、しばらくして紫々丸くんがとうちゃくしました。

「ごめんねぇ。雪がふってきたせいでおそくなっちゃったよ」

部屋に入ると、火のついていないだんろの前で３人は毛布にくるまってねむっていました。

「さ、寒い！　よし、すぐ温かくしてあげるからね」

そう言って、紫々丸くんはなにやらじゅんびを始めました。

「う～ん……。なんだかいいにおいがするゾ」

「あ、いつの間にかねむっていたんやな。ん、このにおいは……」

だんろには火がつき、部屋にはサーモンスープのおいしそうなにおい。紫々丸くんの大切な用事は、みんなにこのスープを作ることだったのです。

体も心もとびきり温かくなった3人でした。

夜な夜な

長い北欧《ほくおう》の冬、極寒の日々が続いています。

「はあ。こう寒いと元気が出えへんな〜」

「ええ、そうね……」

ブルブルくんとアイアイちゃんは、真っ白な雪におおわれた森の中を散歩していました。

「なんかこう……、パァッとはなやかな気持ちになることはないんかなぁ……」

「冬だから、なかなかむずしいかも……。あ！」

う～んとうなりながら歩くブルブルくんを見ていたアイアイちゃんは、なにかひらめいたようです。

次の日の夜。
ブルブルくんが窓から外をながめていると、暗い夜道を歩くアイアイちゃんの姿を見かけました。
「あれ？　アイアイちゃん、こんな夜にどうしたん？」

「ちょっと用事なの」

「そっか。じゃあ、夜道は危ないからこのランタンを持っていったらええよ。気ぃつけてな〜」

「あら、ありがとう。おやすみなさい、ブルブルくん」

「おやすみ〜」

ブルブルくんと別れたアイアイちゃんは、森の奥へと向かっていきました。


その次の夜。

「こんばんは、アイアイちゃん。今からお出かけ？」

「そうなの紫々丸《ししまる》くん。ちょっとやることがあって」

「寒いから、かぜひかないようにね。ボクのハッピーウールで暖かくしてね」

そう言うと、紫々丸くんは身につけていた手作りのストールをアイアイちゃんにかけてあげました。

「ありがとう。とっても暖かいわ」

「良かった。じゃあ、おやすみ〜」

さらに次の夜も、次の次の夜も、アイアイちゃんはどこかへ出かけていきました。


「オイラ、さすがにこわいんだゾ……」とカタグリくん。

「そうやんな〜」

「心配だなぁ」

アイアイちゃんの夜の外出が続くので、ブルブルくんと紫々丸くんもさすがに心配になってきました。

「あら、みんなおそろいでなにをしているの？」

「あ！　アイアイちゃん！　最近、夜中になにしてるんだ？こわいんだゾ！」

カタグリくんが直球で質問すると、アイアイちゃんが笑いながら「じゃあ今日の夜、みんなで一緒に行きましょう。ちょうどできあがったの」と言いました。

「できあがった？　なにがなん？」

「それは見てのお楽しみ♪」

そう言ってアイアイちゃんはウインクしました。

その夜、アイアイちゃんはみんなを森の奥へ案内しました。

「うぅ……。なんかこわい」

「大丈夫や、みんなおるで……」

「もう、そんなこわいものじゃないわよ。さぁ、見て！」

そう言ってアイアイちゃんはブルブルくんにもらったランタンを氷の前に置きました。

すると、光を浴びていくつかの樹氷《じゅひょう》がげんそう的に光り始めます。

「すご……！」言葉もわすれてあっとうされる３人。

そうです。アイアイちゃんは樹氷で作品を作っていたのでした。

「アイアイちゃんありがとう！　すっごいはなやかで、すてきやぁ！」

「ふふ、喜んでもらえて良かった♪」

あとがき「フィンランドの森」

ブルブルくんのショートストーリーいかがでしたか。楽しんでいただけましたでしょうか。

すべての物語に登場するブルブルくんの故郷《こきょう》は「森と湖の国」フィンランド。幾度《いくど》となく訪れましたが、その豊かで美しい自然には毎回、感動を覚えます。

ヨーロッパの北部にあるフィンランドは、隣接《りんせつ》するスウェーデン・ノルウェーともに北欧《ほくおう》と呼《よ》ばれ、この3カ国が森でつながる北極圏《ほっきょくけん》に位置するラップランド地方の冬はとても厳《きび》しく、街《まち》や山、湖までも雪でおおわれてしまいます。

気温はマイナス30度。まつ毛も髪《かみ》も凍《こお》り、息をするたびに肺《はい》が凍るのではと心配になるほどの寒さです。澄《す》み切った空気の中、夜空に広がる「オーロラ」の神秘的《しんぴてき》な美しさ。極寒《ごっかん》の中、何時間も待ち続けてようやく見ることができたあの光景は今も忘れることができません。そして、フィンランドのラップランドには『サンタクロース』がたくさんのトナカイと暮《く》らす村があり、クリスマスには世界中の子どもたちに夢《ゆめ》を届《とど》けに行きます。

厳しい冬をこえ、おだやかな春のあと短い北欧の夏が訪《おとず》れるのです。突《つ》き抜けるような青い空、一晩中《ひとばんじゅう》太陽が沈《しず》まない白夜。太陽の恵《めぐ》みを受けて、広大な森にはブルーベリーやサンタベリーなど、たくさんの果実が実ります。

こんなファンタジーにあふれたフィンランドの森で誕生《たんじょう》した、かわいい妖精《ようせい》たち。青むらさき色の果実ブルーベリーの妖精『ブルブルくん』と赤い果実サンタベリーの妖精『アイアイちゃん』。ふたりはダンスが大好きで毎日毎日歌って踊《おど》って、森の仲間たちと楽しく暮らしています。

こんなブルブルくんやアイアイちゃんがみなさんの近くでがんばっている様子を物語にしたのが『ブルブルくんストーリーズ』です。

【フィンランドの森】編《へん》、【いつもそばにいるよ】編、そしてふたりの仲間も登場する【ゆかいな友だち】編の3部作。

わかさ生活スタッフがそれぞれの感性で書きためたオリジナルストーリー。

この本を読んで、少しほっこりしていただけたなら嬉《うれ》しく思います。

さあ、みんなで一緒に歌って踊ってダンスを楽しもう♪

♬ブルブルアイアイ　ブルブルくん♪
ブルブルアイアイ　アイアイちゃん♪

わかさ生活 代表取締役社長　角谷建耀知

自分だけの「ブルブルくんストーリー」を作ってみよう！

物語を書くのは意外と簡単《かんたん》！
次のポイントを押さえて、
自由な発想で書いてみよう。

① 登場人物を考えよう

きみの考えるブルブルくんはどんな性格《せいかく》かな？　得意なことや苦手なことは？　今はどんな気分かな？　悪役だっていいかもね！

② ストーリーを考えよう

物語の場所はどこかな？　時間や季節は？　ブルブルくんはだれと一緒にいるかな？　例えば、きょうりゅうのいる時代だったらどうかな？

③ 読む人のことを考えよう

家族や友だち、だれに読んでほしいかな？　ワクワク、ドキドキ、どんな気持ちを伝えたい？　だれかにお話しするように書いてみよう。

さあ、レッツチャレンジ！

題名「　　　　　　　　　　　　　」

上手にできたら、「ストーリー学院」に送ってね！
きみのお話が本やアニメになるかも!?

ストーリー学院

株式会社わかさ生活

1998年創業。本社は京都府京都市。「若々しく健康的な生活を提供する」ことを目指し、サプリメントの研究開発・販売や健康に関する情報発信などを行う。「目のことで困っている人の役に立ちたい」という想いで開発した『ブルーベリーアイ』は、18年連続売上No.1。※ 2006年に登場したブルブルくんはインパクトのあるCMで話題となり、わかさ生活の企業キャラクターとして愛されている。

※「H・Bフーズマーケティング便覧」機能志向食品アイケアより引用㈱富士経済（2004年～2021年ブルーベリーアイ実績）

ブルブルくんストーリーズ①
ブルブルくんとフィンランドの森

初版発行日　2023年10月25日 第1版 第1刷発行
制作・編集　株式会社わかさ生活
発行　株式会社わかさ生活　〒600-8008 京都市下京区四条烏丸長刀鉾町22三光ビル
TEL：075-213-8311
https://company.wakasa.jp/
イラスト　こにしさくら
装丁・デザイン　オオエデザイン
発売　株式会社大垣書店　〒603-8148 京都市北区小山西花池町1-1
印刷・製本　図書印刷株式会社

ISBN 978-4-903954-67-7

●この本に関するご意見・ご感想をお寄せください。
［宛先］〒600-8088 京都府下京区四条烏丸長刀鉾22三光ビル3階 株式会社わかさ生活 宛